39 明代
西元 1368～1643 年 [注音本]

全新 吳姐姐講歷史故事

吳涵碧◎著

目錄

【第819篇】明景帝怒廢汪皇后。

景帝拿著這一份奏摺，命令胡濙召集廷議，與群臣商討易儲之事。有一位名叫李侃的大臣向來以直說敢言出名，當場叫嚷起來：『東宮又無失德，憑什麼要廢？』

另有一位大臣林聰，更是赤裸裸大吼：『黃竑殺人，理該抵命。』

眼看著衆人聲討黃竑，景帝身邊的太監興安急忙搶過話題：『各位，茲事體大，非得馬上有個決定不可。認爲該行者，立刻簽名，認爲不當行者，不用簽名，誰也不能首鼠兩端。』

所謂『首鼠兩端』是一句成語，鼠性多疑，出穴之前，往往遲疑不決。因此用來形容瞻前顧後，遲疑不決。

興安的說明，用意十分明顯，現在主子是非換太子不可了，各位簽不簽名，直接關係到以後的前程。

於是，先前拿了一百兩白金的陳循，率先簽了名。

吏部尚書王直不想簽，面有難色。陳循趨前，用毛筆沾了墨，把筆遞給王直道：『皇上膺天明命，中興邦家，統緒之傳，宜歸皇子，黃竑所奏極是。』

在這種被監視的氣氛下，許多大臣雖然心裏不以爲然，卻不得不簽了

名，最後，輪到于謙，于謙實在是不想簽名的。但是，于謙也知道，形勢比人強，即使他不簽，也不能挽回什麼，於是，他緩緩向前，寫下了『于謙』二字，誰都看得出來，于謙不是心甘情願的。

景帝知道衆人都乖乖簽了字，非常高興，龍心大悅，人人有獎，再賜以黃金，前有白金、後有黃金，景帝可謂是用心良苦了。

王直捧著景帝賜的金元寶，窩囊地說：『易儲乃是何等大事，我們竟然被一個小小的廣西土官，並且還是一個殺人犯牽著鼻子走，這算什麼嘛？我們這些讀書人，全部加起來，還擋不過一個蠻酋，眞正氣死人！』

黃玹這個殺人犯，不但免了死罪，景帝爲了感激黃玹的『忠誠』，同時，也希望黃玹的忠誠起一個示範作用，所以，他要升黃玹爲都督，擔任潯州總兵。

于謙大皺眉頭，他勉強按捺住怒氣詢問興安：『黃竑是個殺人犯，殺的還是他自己的哥哥，竟然升官，這一定會影響士氣的。』

興安心想，于謙你也簽了名，理當了解，皇帝的意願，誰能阻攔，興安攤攤手道：『沒辦法啊，皇上不是說過，萬里之外，乃有忠臣，既然是忠臣，當然得要予以獎勵，不是嗎？』

興安的話，于謙自然是不以爲然，不過，這幾年官場的歷練，也讓于謙深刻的體會到，皇帝口裡說是『以天下蒼生爲念』，事實上全是自私自利。于謙已經做了太多太多讓皇帝不高興的事，他如果再執意唱反調，把景帝給惹毛了，景帝大可以把他換掉，調一個乖乖牌上來。于謙把個人的得失名利看得極淡，他實在是基於知識分子對天下的一份責任感，不然的話，于謙早辭官了。

于謙心中感嘆：『都說中國人愛用奴才，不愛重用人才，這話是一點也不差啊。』最後，殺了人分了屍的黃玹，終於如願以償的升了官。

景帝把一切都擺平，障礙去除之後，積極地進行易儲計畫，準備把杭妃之子朱見濟，正正式式立爲太子。

爲了易儲這件事，景帝與汪皇后數度口角。

汪皇后性情剛烈，嘴巴又快又利，她嘲諷景帝道：『假如你做了這件失德之事，不但爲天下人恥笑，後世也會罵你。』

景帝心想，萬一不換太子，我死以後，一定是我哥哥的兒子繼承皇位。

以後，我一定不能入太廟，這皇帝不是白做了嗎？因此，景帝怒斥汪皇后道：『你啊，全是因為自己肚皮不爭氣，一連生了兩個女兒，心懷褊狹，不配為一國之母，太子若由你教養，想來也很危險，依朕看來，只有廢后了。』

景帝下詔換太子，將原來太子朱見深廢去，改封為沂王，立自己的兒子朱見濟為太子。接著，景帝又下詔廢汪皇后，立朱見濟的生母杭妃為皇后。

閱讀心得

【第820篇】

鍾同母親的遺憾。

明景帝如願以償，廢掉太子朱見深（太上皇之子），改以自己的親生兒子朱見濟為太子，這是景泰三年的事。

不料，到了景泰四年十一月裏，有一天，小太子突然半夜高燒不退，杭皇后著急萬分，沒多久，太子竟然嗚呼哀哉，小小年紀就夭折了。

景帝耗盡心血，好容易才有了後，準備他日承繼皇位，他實在受不住這個打擊，杭皇后自覺對不起皇帝，又怨嘆自己福薄，夫妻二人抱頭痛哭，傷心到達了極點。

景帝的煩惱還不只此，太子朱見濟甫過世，馬上有人想到，那不如再把廢掉的太子重立，否則，國無儲君，是一件危險的事。首先提出這個建議的是鍾同與章綸。

鍾同性情剛直，自小嚮往當烈士，這與鍾母的教育有關。鍾同的父親鍾復，是宣德年間的進士，學問道德一流，他與同鄉劉球，都是江西吉安人，都有憂國憂民的情懷。

正統六年，明英宗聽從王振的意見，準備用兵麓川，劉球深不以為然，劉球認為，瓦剌才是明朝最危險的外患，犯不著為麓川用兵，尤其不值得勞師動眾十五萬人，騷動天下，造成百姓不安。

志節

劉球與鍾復商討，兩人聯名上書，鍾復原先同意了，後來回家與妻子商量，鍾妻立刻淚眼汪汪：『你也不是不知道，王振權勢有多大，得罪了他，我們一家人全完了。』眼淚鼻涕流了一臉。鍾復夫妻一向恩恩愛愛，鍾復不忍妻子擔憂，猶豫再三，難以下決定。

劉球久候不至，決心親自前往鍾家跑一趟，劉球剛一進門，一向笑臉迎人的鍾大嫂便開罵了，隔著屏風尖銳地叫嚷：『你想當忠臣，自己去做便是了，何苦連累他人？』

劉球先是一愣，繼而怒氣沖天，甩著袖子衝出門，留下一句話：『這等重要大事，竟然跟老婆商量。』

鍾復想追出去，鍾妻一把扯住他的袖子瞋怒道：『莫非老爺真真不顧我們母子？』

鍾復無奈，垮著一張臉，從此，再也沒有笑過，甚且，不再與妻子談話，雙方陷入了僵局。

後來，劉球上書，果然得罪了王振，果然遭錦衣衛逮捕下獄，最後，被王振的爪牙殺於獄中，並且支解屍體，劉球的長子只找到一條血淋淋的手臂，裹著血衣而葬。

鍾妻忍不住，一面擦眼淚，一面邀功似地對鍾復說：『你瞧，幸虧我阻止你，否則，還不落得同樣下場，你該慶幸自己有一個好老婆。』

鍾復冷冷的回了一句：『我恨我沒有隨同劉球而去，劉球一定認為我是重色輕友、不守信用、貪生怕死的小人。』

『不是，老爺不是的。』鍾妻著急了。

『我當然是。』鍾復痛苦的閉上雙眼。

自此而後，鍾復茶不思、飯不想，終日長吁短嘆，有時又喃喃自語：

『當時，當時我該追出去的。』

鍾復是一個不能擔負不義的君子，他日日夜夜自責。雖無一言一語責怪妻子，妻子卻難過極了，一向恩愛的夫妻，成了陌路人，鍾妻不曉得該如何挽回局面，只有盼望時間能夠醫治鍾復心頭的傷痕。

不幸的是，事與願違，鍾復病倒了，一病不起，鍾復一心一意求死，彷彿急奔黃泉，想去找劉球解釋清楚。在這樣的情形之下，自然藥石罔效，沒多久，鍾復只剩下最後一口氣了，他死前仍有氣無力地唸著：『唉，這等重要事，我怎能與老婆商量呢？』

鍾復嚥下最後一口氣，鍾妻像發瘋似的，抱著鍾復的屍體痛哭，她不斷地哀嚎：『早知命中注定，你非得離開我們母子，倒還不如當初追隨劉球去。』

鍾妻自覺對不起鍾復，對不起鍾家。因此，她含辛茹苦把鍾復留下來的兒子鍾同帶大，一心一意希望鍾同能夠承繼父志。

鍾妻曾經牽著鍾同的小手，前去瞻仰吉安『忠節祠』，一一爲鍾同解說：『這是先賢歐陽修，這是抗金而死的楊邦乂。』

鍾同說：『希望有一天，我也能入忠節祠。』

這正是鍾妻的願望，在母親的薰陶下，養成了鍾同正直不懼的性格，因此，鍾同不顧安危……

閱讀心得

【第821篇】

鍾同直言成烈士。

明景帝爲了一己的私心，把原先明英宗之子朱見深的太子名號廢掉，改封爲沂王。並且，以自己親生兒子朱見濟爲太子。不幸朱見濟卻夭折了，於是，朝廷裡沒有太子。

朝廷上上下下一致認爲，國不可一日無儲君，應當讓沂王復位。但是，誰也不敢開口，唯恐激怒景帝。只有鍾同，一心一意繼承父志，報答母教，不顧一切，寫了一封奏章。

說來也奇怪，鍾同有一匹寶馬，彷彿通靈，當鍾同準備上京，牠突然伏下身子，哀哀長鳴，似乎是在懇求主人別走，鍾同又是感動又是生氣地埋怨：『我不怕死，但是你如此這般又爲了什麼？』

寶馬不依，賴在地上，這是從來沒有過的事情。最後，鍾同拿起馬鞭，硬著心腸，死命的抽了幾鞭，寶馬這才緩緩起身，馬的眼睛中還有淚光哩。

鍾同上書，他的奏章眞是寫得太不委婉，直指要害：『父有天下，固當傳之於子，太子薨逝，遂知天命所在。』

景帝氣得全身發抖，他心想：『什麼叫這才知天命所在，你是指我兒子福薄，本不合天命，本不該當太子嗎？』

景帝再往下看，血壓更直線上升，『臣私心以爲，上皇之子，其實也就

是陛下之子，不必分彼此。尤其沂王天資聰穎，足以承擔陛下之託，建復儲位，實是祖宗無疆之休。』

看到這兒，景帝火大了，把奏章狠狠地揉成一團，希望這件事到此爲止，再也沒人提起讓沂王重新復位之事。

誰知道，才過了三天，章綸又上奏了。章綸是正統四年的進士，景泰初年，任命爲儀制郎中，他是一個典型路見不平，立刻表達『我有話要說』的正義之士。

章綸上奏的第一句話是：『內官不可干外政，佞臣不可給他事權，後宮不可過分聲色之娛。』這三個『不可』，讓景帝好生反感，他可不喜歡被人教訓。

再接下去，章綸的話就更尖銳了。『上皇君臨天下十四年，是天下之父也，陛下是上皇的臣子也，希望陛下在初一十五，以及節慶之時，率群臣朝見上皇。同時，把廢掉的汪皇后找回來復位，還沂王之儲位，以定天下之大本。』

景帝氣得頭上一陣暈眩，從齒縫中迸出話來：『這個章綸，他眼睛裡還有我這個皇帝嗎？』

於是，景帝吩咐興安：『聽著，用你司禮監的名義，立刻傳諭，就說，章綸目無君上，謀爲不軌，著即拿交錦衣衛審明覆奏。』

興安小心地說：『宮門已閉，臣明天一早就去辦。』

『你不會從門縫中傳出去嗎？』景帝怒氣沖天地質問。

『是的，是的。』興安一步也不敢怠慢，慌慌張張往外走。

『等一下，』景帝又下令：『把鍾同的名字一塊加上去。』

當天晚上，鍾同與章綸同時被捕，嚴刑逼供，非要強迫他二人供出如何暗通太上皇之事，他二人身受酷刑，卻咬緊牙根，不說一句話，本來沒有暗通之事。

除了鍾同、章綸，另有一廖莊，也是氣節之士，他也上奏，談到：『太子爲天下之本，上皇之子也像陛下的兒子一樣，應該多加教育，以待皇嗣之生。』意思就是說，先要對朱見深多加教育，一面等待景帝再生一個兒子，因爲有這一句話，景帝饒過了廖莊，沒把他逮捕入獄。

到了第二年，廖莊的母親在南京病逝，廖莊赴宮門求見，報告喪事，景帝想起他前年的奏疏，時隔一年，『皇嗣』仍然毫無消息，又火又惱，把一肚子的怨氣全發洩到廖莊身上，命令打廖莊八十大板，謫為蘭州附近的定羌驛丞。

景帝處罰了廖莊，心中餘怒未消，他恨恨地發牢騷：『這一切，全是鍾同、章綸兩個不知輕重的人惹出來的。』

於是，景帝命令錦衣衛獄卒，用頭號寬的木板，好好讓鍾同、章綸消受一番。獄卒本來蠻橫，皇帝有令，格外卯足了勁用力大打特打。可憐那鍾同，原就文弱，當場死於杖下，不過只有三十二歲。

後來，在成化年間，鍾同的牌位，被放在忠節祠，完成了他父親鍾復的願望，與劉球的牌位擺在一塊，只不過，如此的志願，實在太慘太慘了。

閱讀心得

【第822篇】景帝春節臥病。

景帝下令杖打章綸、鍾同與廖莊，三個建議景帝重立英宗之子朱見深爲太子的大臣，鍾同被活活打死，章綸、廖莊也奄奄一息。

有能力讓人生、讓人死的景帝卻不能因此息怒。他煩惱，他抱怨，他恨老天爺，爲什麼不讓他有子嗣，愈想愈自傷自憐，尤其杭皇后去世以後，景帝似乎已經忘記如何咧嘴笑了。

最後，景帝病倒了，還不滿三十歲的青年，竟然孱弱得像個小老頭，一天到晚召御醫進宮，終日不斷地灌藥，整個內宮，彌漫著一股苦得不能再苦的藥味。

景帝這一病，病得還眞不輕，景帝無法上朝，宮中傳出的消息都不樂觀。轉眼之間，到了景帝景泰八年春節，雖說是過年，卻沒有歡樂的氣氛。依照慣例，元旦當天，應該是百官朝賀，互相恭喜，熱鬧非凡。

景帝臥病，國家又沒有儲君，個個憂心不已。於是，百官全體都到左順門前去問安，當然，不能見到皇帝，只是由太監興安出來，向大家表示景帝的感謝。

從初一到初十，整整十天，每天都是興安出現，用一成不變的老詞兒對百官說：『皇上安好，各位不用惦念。』

到了第十一天，興安改變了台詞，他皺著眉頭說：『你們全都是朝廷的重臣，不能爲社稷定大計，一天到晚只是問安有什麼用？』

興安的話，讓百官爲之一愣。興安一向最護著景帝，如今連他都講出這樣的話，可見景帝的病情非同小可，隨時會有三長兩短。

朝臣們一致認爲，建儲之事不能再拖，否則，景帝隨時駕崩，國家立刻陷入混亂，中國人一向認爲『國不可一日無君』。

於是，正月十二，内閣與都察院在朝房會議。並且一同起草一個奏章，請皇上趕緊立太子。

王文首先發言：『現在只消說請立東宮便可，誰知皇上屬意何人。』

學士蕭鎡則表示：『沂王既退，不能再重新回來當太子。』

都御史蕭維禎更懂得揣摩上意，他鄭重地說：『奏稿中的早建元良四個字，不如改爲早擇元良。』這一字之差代表請景帝早日選擇太子，既然是選擇，絕不可選了沂王。蕭維禎對自己這一改相當得意，他端起圍腰的犀帶，笑咪咪道：『我的帶子也該換了。』中國古代官員的腰帶，表示官位的大小，蕭維禎的意思是說：『我處處的爲皇上設想，他一定會升我的官。』

不料，景帝的回覆竟然是：『朕不過偶有寒疾，十七日當早朝，你們所請求的事，朕不允許。』不但如此，景帝還放出消息『今年南郊大典，將躬親行禮，自今日起宿於齋宮。』

所謂南郊大典，指的是古代帝王在郊外祭祀天地，冬至日到南郊外祭天，夏至日到北郊外祭地。古代認爲，祭天地，關係到政權的吉凶，因此，從上古到清代的帝王都有郊祭。

景帝害怕人家知道他病情不輕，逼他重立沂王爲太子，所以打腫了臉充胖子，願意親自舉行郊祭。

不過，郊祭可是一件累死人的事。不斷地『迎神、欽福受祚、送神』站起來又跪下去，每次且是四拜。就憑景帝這一副搖搖欲墜的身子，在正月刺骨寒風中幾個時辰，怎麼禁得起？如果郊祭剛剛開始，就支撐不住而被抬回宮去，這可是立刻傳遍京城的笑話。

景帝了解自己的身子，受不了郊祭的勞累，皺著眉頭問興安道：『郊祭太辛苦了，朕想找陳循或者是王直，二人之中挑一個代朕行禮，依你看，誰比較適合？』

興安一臉苦笑：『方才才爲了安定人心，說是要親自行禮，這一會兒又改了，不太好吧。』

景帝囁嚅道：『我也曉得，可是……』

興安體貼回話：『老奴自然明白，這樣吧，不如在護駕的武臣之中，找一個人代爲行禮。但是，對外不必聲張。反正，站在後頭的大臣，只見前面黑壓壓的一片，看也看不清楚前面發生了甚麼事。』

『這個方法倒是挺不錯的，不如就找太子太師，團營提督兼總兵官石亨吧，他的資望最爲合適。』

興安把石亨找了來，景帝對石亨說：『你在郊祭那一天，代朕行禮，不論事先事後對外都不得聲張。』

『是！』石亨重重地磕了一個響頭。

石亨抬起頭來仰望天顏，臉色蠟黃，雙眼無神，身子單薄得彷彿一張紙，講一、兩句話便氣喘如牛。石亨心忖，都說皇帝病得不輕，見了面才知道，皇帝眞的病入膏肓，恐怕撐不了多久了。

閱讀心得

【第823篇】

石亨夜訪徐有貞。

明景帝病倒在床，爲了安定天下人心，突發奇想，不但揚言將親自舉行南郊祭拜大典，並且住入南郊旁邊『大祀殿』的齋宮，齋戒沐浴三天，表示愼重。

事實上，景帝頭暈目眩，走起路來搖搖晃晃，說什麼也不可能親行每次四拜的大禮。但是，大話已經說出口了，總不能再回過頭來找大臣代爲行禮。於是，急中生智，決定讓護駕武臣石亨代行，對外則不聲張，希望能夠矇混過關。

石亨生得魁梧高大，四方臉，粗眉毛，豬耳朵，美髯過膝。他的姪兒石彪與他彷彿一個模子鑄造的，同樣是長髯超過小腹，曾經有相士對著石亨、石彪叔姪二人道：『奇怪，現在是太平盛世，爲何二人乃有封侯的相貌。』

石亨聽了，一手撚髯，哈哈哈大笑不已，從此以後，他舞大刀舞得更爲起勁，屢次建立戰功。景帝景泰元年，石亨率領京軍三萬人大破也先的部隊，升爲提督，擔任總兵官。

景帝臥病期間，對外一律謝絕探訪，大臣們都不得謁見天顏，只能由太監興安傳話，石亨是近日唯一親眼見到景帝的人。

石亨看到景帝虛弱的模樣，非但沒有一絲一毫的同情心，反而充滿了幸災樂禍的興奮。他匆匆忙忙跑去找太監曹吉祥，曹吉祥原是王振手下的紅人，也是偏向太上皇英宗的非當權派。

石亨以發現大好消息的口吻道：『皇上不行了，拖不下去了，我剛剛見到了皇上，氣色之差，簡直讓人難以置信。』

『莫非，拖不過十七日？』曹吉祥問道。十七日是景帝原先準備上朝的日子。

『我看是不成。』石亨神采飛揚的回答，繼續口沫橫飛發表高論：『假如重立不滿十歲的沂王爲太子，太子年紀小，一定還是太上皇作主，既然如此，不如乾脆迎上皇復位。』

「好是好，不過茲事體大，我們還是得找太常卿許彬及楊善仔細商量一下。」

許彬是當年迎上皇於宣化府的老人，他聽完石亨、曹吉祥的話之後，意味深長地說：「這可是不世之功，但是，我垂垂老矣，不中用了，這樣吧，徐元玉此人足智多謀，你們不妨與他談談看。」

徐元玉就是徐珵的字，也就是當年主張南遷，被于謙好好訓了一頓的人，他改了一個名字，叫做徐有貞。

夜深人靜，徐有貞十分驚訝石亨和曹吉祥的來訪，心想必有重大事情。一見石亨、曹吉祥兩人躲躲藏藏，怕被人發現的樣子，立刻悄悄對兩人說：「隨我來。」

一行三人，繞過迴廊，來到密室。徐有貞首先開口：『兩位深夜造訪，必有要事。』

『是的。』石亨道：『最近聽說一則謠言，大學士王文看穿皇上的心事，想要迎立襄王世子爲皇儲。』

『沒那麼容易。』徐有貞搖搖頭：『王文別妄想建擁立之功，孫太后如今尚健在，她豈肯把自己孫子的儲位讓人。』

石亨接著把進宮見到皇帝以及想擁立太上皇復位的計畫說了一遍。

徐有貞聽後大感興趣，可是臉上卻裝出一副凝重的神色道：『此事非同小可，草率不得。』

曹吉祥巴結道：『所以，才要找你商量。』

『上皇那兒，有沒有接頭？』

『正準備找人。』

『嗯！還有，孫太后那兒呢？』

曹吉祥拍拍胸：『我自己去一趟。』

『好，我們隨時密切保持聯絡，記住，人手不要多，風聲如果洩露，你我身家都將不保。』徐有貞嚴肅地說。

正月十六日晚，石亨與張軏來到徐家：『上皇與孫太后都同意了，下一步該如何進行？』

『你們等一下。』徐有貞道。

『幹甚麼？』

『觀察天象啊。』

原來徐有貞擅於夜觀天象，對此頗爲自得，當他還是徐珵之時，曾經發現『火星侵入南斗星』，認爲『天命已去，也先入侵，天命已去，唯有迅速南遷。』

後來，被于謙狠狠訓了一頓：『主張南遷者，可斬也。』曾經晦暗過一陣子。但是，徐有貞始終對天象是深信不疑的。

他一下子爬到屋頂，徐有貞瘦瘦小小，古靈精怪，像隻小老鼠。他登上平台，瞇著眼睛，左瞧右瞧，看了大半天。然後，飛也似地竄下來。

『怎麼樣？』石亨關心地問。

『再好不過了，今夜天象顯示，紫微星黯然無光，表示今上垂危，紫微星旁邊的星座閃閃發光，眞是你我不可多得的機會。』

接著，一行人焚香禱告，匆匆出發。

徐有貞對妻兒道：『我現在要出門辦一件大事，事情若是辦成了，這是國家之福，若是今晚我回不來，我就成了鬼，你們自己小心料理。』

閱讀心得

【第824篇】

奪門之變。

景帝景泰八年正月十六日，夜半三更，在宮門外的一個安靜角落裡，聚集了一群人，那是石亨一家三代、楊善和他五個兒子以及曹吉祥叔姪等人，加上徐有貞，人數不多，個個神情緊張，沒有人敢大聲講話，大夥兒似乎在等待甚麼。

『你調了多少京營兵？快來了吧？』徐有貞輕聲地問石亨。

『我只調了一百名京營兵，調多了會驚動別人。應該是快到了。』石亨輕聲地回答：『我該先行動了，你們等著和京營兵一起進宮。』

石亨方面大耳，鬚長過腹，當年也先入寇時，陽和口大敗，石亨單騎突圍，返回京師。因此，他是一名機警的武將。

石亨騎上馬，來到宮門口，一位負責夜間守衛的『坐更將軍』聽到了馬蹄聲，便喝問道：『是誰在此深夜騎馬？』

石亨在馬上摸著長鬚，擺出一副威風凜凜的架式：『是我！』

坐更將軍走近一看，發現是皇帝身邊得寵的紅人石亨，立刻必恭必敬地向石亨行了一個禮：『不知石大人深夜到此，有何貴幹？』

『嗯。』石亨自鼻孔裡噴了一口氣，極有威嚴地說：『我奉命自今晚起，巡城查看，我想到皇宮內瞧瞧。』

『是！是！』坐更將軍沒有懷疑石亨使詐，他立刻打開皇宮的一扇門，請石亨進去。

石亨進得皇宮，正在左顧右盼，假裝巡查，宮門外有得得的馬蹄聲，石亨轉頭向坐更將軍道：『還不趕快去看一看？』

坐更將軍過去看了一眼，回來向石亨報告：『沒甚麼，不過是一隊京營兵經過。』

『不是經過，他們是奉命進皇宮來的，趕快把宮門打開，讓他們進來。』石亨用下命令的語氣說。

坐更將軍覺得好奇怪，爲什麼京營兵要進皇宮，可是，石亨的官位高，又是皇上身邊的紅人，莫非皇上要石亨帶兵入宮保駕？想查證卻不知該如何查證，只好服從石亨的命令，把宮門打開。

宮門開了，張軏領了京營兵直入，後面跟隨著徐有貞等一夥人，徐有貞是整個計畫的策畫者，心細如髮，一進皇宮，立刻悄聲地對石亨說：『門要趕快上鎖。咱們奪了門，就不怕外兵來援。』

『快，快把宮門關上，加鎖。』石亨指示坐更將軍。

『加鎖？』坐更將軍露出了懷疑的眼光。

『別嚕嗦，快加鎖，否則，以抗命論罪。』石亨厲聲道。

坐更將軍被石亨一吼，嚇得膽戰心驚，趕快將宮門上了鎖。

『把鑰匙給我。』徐有貞也用命令的口吻說。

坐更將軍乖乖地把鑰匙交給徐有貞。

徐有貞將鑰匙高高舉起，當著衆人的面，把鑰匙丟進身旁的水溝之中，然後對大家說：『諸位！宮門的鑰匙丟掉了，如果我們不能達成任務，就永遠別想出宮了。』

徐有貞的話讓大家悚然心驚，覺得今晚的行動只許成功，不許失敗，每個人都情不自禁地握緊了拳頭。

忽然，一陣狂風颳了起來，強大的風力吹得人幾乎倒下去，刺骨的寒冷，也讓人全身發抖。

『剛才還是明月高掛，怎麼忽然變了天？』曹吉祥心頭不禁發毛：『徐大人，是怎麼一回事？』

石亨也走到徐有貞身邊，拉著徐有貞的袖子：『徐大人，我好緊張，事情會不會成功？』

『當然會成功，大家要鎮定。』徐有貞安慰著大家，其實他自己的心裡也著實有些害怕，怎麼在這個節骨眼吹來一陣怪風。

幸好怪風漸漸小了，徐有貞帶領大家來到南宮，那是太上皇的住所，只見宮門緊閉，左右沒一個人影，石亨舉起手裡的大刀，用刀背敲門，刀背撞在銅門上，發生清脆的金屬聲，可是卻沒見到宮內有人來開門。

『皇宮太大了，竟然沒人聽到敲門聲。』徐有貞想了一想，說：『快找找看，有沒有粗大的木頭。』

不久，士兵找來一段又粗又大的木頭，像是大樹的主幹。

『把宮門撞開。』徐有貞下令。

十幾個士兵一齊抱著木頭，向宮門猛撞，撞了十幾下，大鐵門似乎絲毫未受損。

『這門太堅固了，撞不開。』石亨對徐有貞說。

『門撞不開，試試看撞宮牆吧！也許內宮的牆不太厚，可能撞得破。』徐有貞指揮士兵們轉移撞擊的目標。

不知道是內宮的牆比較單薄，還是士兵們拚命使力，撞了幾下，『嘩啦』一聲，竟把牆壁撞出一個大窟窿，一個士兵爬進窟窿，入內把裡面的門栓拉開，打開大門，大夥兒在徐有貞領頭下，魚貫而入……

閱讀心得

【第825篇】

明英宗復位。

明景帝病重，徐有貞、石亨等乘機奪了皇宮的門，沒有一點阻攔，來到了太上皇的寢宮之前。

『石將軍，快去抬輦來。』徐有貞對石亨說，石亨立刻指示石彪去辦。

（輦，是皇帝乘坐的便轎。）

一會兒，石彪帶著幾個士兵抬了一個便轎進來。

『石將軍，』徐有貞對石亨說：『你的嗓音洪亮，你到殿前去高聲請上皇出來。』

石亨步上了台階，朗聲對內說道：『臣石亨，請上皇賜見。』

其實，上皇早就知道今晚將有重大事情要發生。石亨和徐有貞等人要他重新登上皇位。對於這次政變，他是既高興又害怕，高興的是自己又可以再過皇帝癮，大權在握，好不快樂。害怕的是萬一政變失敗，自己的命運將十分悽慘。不過，做皇帝實在是人生最大的樂事，值得冒一次險，所以，上皇整夜未眠，身穿龍袍，在屋裡等候。這時，聽到石亨在門外高喚求見，心中大喜，知道事情接近成功。便吩咐小太監開門，召石亨等人入內。

『你們闖入皇宮，想做什麼？』上皇假裝疑惑道。

『恭請陛下到奉天殿登基！』徐有貞跪在地上回答。

接著，石亨和曹吉祥扶起上皇，步行到屋外，便轎已經等候在旁。

上皇上轎之前，對石亨、徐有貞、曹吉祥、楊善和都督張軏一一注視，帶著感激的語氣說：『你們五個人都是朕的股肱之臣。』

眼見上皇登上便轎，徐有貞長長呼了一口氣，抬頭看天，發現風已止了，天上明月皎潔，忍不住雙手合十，對天一拜：『感謝上天的恩助！』

一群人簇擁著上皇的便轎，離開南宮，來到東華門，東華門的坐更將軍一見，大感疑惑，立刻攔住去路，怒斥道：『何人大膽，竟敢擅入禁地！』

『你瞎了眼，沒看清楚就亂吼！』徐有貞的嗓門比坐更將軍還要高。

『闖入禁地，你就沒命！』坐更將軍被激怒了。

『大膽，太上皇在此，還不閃開！』石亨大喝一聲，坐更將軍呆住了，揉揉眼睛，才看清楚對面是石亨將軍。

『朕是太上皇帝，快讓開！』英宗的聲音充滿權威性。

『遵命！』坐更將軍趕快閃過一旁，恭送這一群人過去。

來到奉天殿，大殿內的太監們見上皇駕到，無不恭恭敬敬佇候兩旁。徐有貞和曹吉祥扶上皇坐上皇帝御座，然後，帶領護駕的一夥人跪下叩拜，高呼：『皇上復位，我朝之福，臣等叩賀。』

『萬歲，萬歲，萬萬歲！』一百名京營士兵也隨著歡呼，在寂靜的清晨，聲音傳出了宮外。

這時正是正月十七日的清晨，景帝早就宣布要在這一天視朝，文武百官一早就齊集在宮門外，等候入朝，忽然聽到宮內傳來一陣陣高呼『萬歲』的聲音，大家都感到有些奇怪，弄不清究竟是怎麼回事。

宮門開了，徐有貞從裡面出來，對群臣宣布：『太上皇復位，各位進宮朝賀！』

群臣個個心裡暗吃一驚，在御座上的竟然是太上皇，在這情勢下，群臣不得不匍匐叩拜，口呼『萬歲！』

上皇在御座上，聽見群臣的『萬歲』聲，眼見群臣匍匐在地的恭順狀，心裡的高興眞是無法形容，那失落了七、八年的無上權威又再度回到手裡，一種似夢似眞的感覺，讓上皇激動得全身顫抖。

『吉祥！』上皇抓住曹吉祥的手，輕聲道：『這是眞的嗎？不是做夢吧？』

『皇上，』曹吉祥沈穩地答道：『是眞的，不是做夢，皇上請下聖諭安撫文武百官吧！』

上皇，不，應該說是復位的英宗——清了清喉嚨，用緩慢的語調對群臣說：『諸臣以景泰帝有疾，迎朕復位，文武百官各守其職，謹愼將事，不得自相驚擾。』

群臣們聽到英宗的口諭，雖然內心覺得奇怪，是誰迎他復位？可是也不能詢問，反正英宗本來就是皇帝，只因被也先所俘，才失去皇位，現在復位，也不算是新皇帝，誰能不服？於是，大家只有再度高呼『萬歲』了。

英宗由太上皇而復位爲皇帝是一場政變，歷史上稱之爲『奪門之變』。

閱讀心得

【第826篇】

于謙的善政。

由石亨、徐有貞策劃的奪門之變成功之後，明英宗復位。當英宗在奉天殿二度登上皇位，首先遭殃的竟然是曾經挽救明朝於危亡的兵部尚書于謙，而陪著于謙一塊受難的是大學士王文。英宗下詔將于謙、王文以『大逆不道』的罪名交由錦衣衛嚴審治罪。

于謙字廷益，浙江人，明成祖永樂十九年進士，明宣宗時，官至御史，他身材挺拔，嗓音洪亮，吐字清晰，風度儀表俱佳，宣宗每次聽于謙報告，總有一種舒暢的感覺，對他十分欣賞。

宣德元年，漢王朱高煦造反，宣宗親征，高煦投降，宣宗命于謙口數其罪狀，于謙站在高煦面前，神色莊嚴，面目冷峻，聲調高亢，義正辭嚴，高煦聽得匍匐在地，嚇得不斷磕頭，頻呼：『臣罪該萬死！』宣宗看到于謙的表現，十分地讚賞。

不久，于謙以御史的身分，被派到江西去巡察，平反了數百件冤獄，一時『于青天大老爺』的名聲響遍了江西。于謙的名聲傳到了宣宗耳朵，宣宗大樂，更加認爲于謙這個人值得重用。於是親手寫了『于謙』二字交到吏部（吏部是掌管人事命令的機關），特別提升于謙爲兵部侍郎，擔任巡撫河南、山西的工作。

大凡明朝官員無不講究排場，官員出巡，必定是前呼後擁、鳴鑼開道。于謙到河南、山西巡察，一反官員常態，不要大小官員陪同，只是自己騎著一匹馬，帶個小書僮，到各地去探訪，親切地與地方父老閒談，沒一絲一毫的官味。這種深入民間探訪的方式，既不擾民，又能眞正瞭解民間疾苦。於是，于謙針對老百姓的需求，不斷地上奏章給皇帝，請求改革。如果河南、山西兩區小有水旱現象，立刻報告朝廷，請求救濟或是減免租稅。

在中國古代，農村的窮人是很多很多的。這些窮人無衣缺食，境遇可憐。于謙基於人道，基於減少社會問題，下令將河南、山西的倉庫打開，周濟貧民。他又在黃河沿岸每隔若干里設立一亭。亭有亭長，負責河堤整修，並且在堤岸兩旁植樹，經過于謙的整理，黃河沿途風景秀美。

宣宗在位之時，三楊（楊士奇、楊榮、楊溥）在中央政府執政。三楊爲人正直，非常敬重于謙，對于謙的各種措施都非常支持。等到明英宗即位，三楊先後去世，太監王振掌權，王振不喜于謙，把于謙調回京師，降爲大理寺少卿。

山西、河南吏民聽到消息，紛紛上書給皇帝，請求朝廷留任于謙，這種類似的奏章多到數以千計，甚且連皇室諸王也站出來爲于謙講話。英宗迫於輿情，重新任命于謙巡撫河南、山西。

當時山東、陝西一帶地方政治不良，加上不斷有災荒，老百姓聽說于謙治理河南十分清明，紛紛逃到河南。于謙對這些外地來的難民一律給予糧食救濟，並且鼓勵難民留在河南開墾荒土。于謙發給種子、土地與耕牛，使許多難民重新覓得一個安身立命之所。

英宗正統十二年，朝廷任命于謙爲兵部左侍郎，調入京師。第二年，也先大舉入寇，宦官王振慫恿英宗親征，發生不幸的『土木堡之變』，英宗被俘，京師（北京）震動。當時由英宗的弟弟郕王監國（監國就是代替皇帝執掌國政），郕王先要群臣商議如何應付危機。

有一個叫徐珵（後來改名爲徐有貞）的侍講主張遷都：『我觀察過天象有變，朝廷應當迅速南移。』

『胡說！』于謙大聲喝斥：『誰再說南遷就該斬首，京師是天下的根本，京師一動則大事去矣，難道我們忘記宋室南渡之後，就再也回不到北方的慘劇嗎？』

郕王同意了于謙堅守京師的建議，在于謙調兵遣將、苦心擘劃之下，終於保住了京師。同時，于謙擁立郕王為皇帝，是為明景帝。

于謙雖然是文人，對軍事卻相當精通，他擔任兵部尚書，不但阻止了也先的入侵，又平定了福建、浙江、廣東的亂事。

于謙為人正直，不肯自誇功勞。英宗能夠回京，主要是因為也先懼怕于謙，不願再與明朝交戰。再說，景帝原本不想迎英宗回京，于謙力爭之下，景帝這才勉強應允迎回英宗。

等到英宗回到北京以後，于謙並沒有把這一段經過向英宗報告，他一向不是邀功之人，當然也沒有人向英宗報告于謙在景帝之前力爭的事。所以英宗對于謙十分痛恨，英宗所知道的只有一件事，那就是于謙擁立景帝，使他自己失掉了皇位。站在明英宗的立場，于謙是景帝的功臣、忠臣，卻是自己的逆臣、叛臣，這就埋下了奪門之變成功以後，于謙立刻遭殃的結局。

閱讀心得

【第827篇】

于謙的〈詠石灰詩〉。

于謙爲人正直，爲官清廉，自律甚嚴，謹守道德規範。他雖然貴爲兵部尚書，爲國家建立了大功勞，但從不自誇自傲。平日生活儉樸，所住的房屋狹小而破舊，只能遮風蔽雨而已。

有一次，景帝聽說于謙的住屋如此破舊，便把北京西華門附近的一幢房屋賜給于謙。不料于謙對景帝說：『國家多難，臣子何敢自安。』堅持不肯接受。

于謙一心爲公，他知道，世間齷齪的小人不會放過他的。但是，于謙有自己的原則。于謙平日歡喜讀史，尤其景仰岳飛，所以也先入寇，徐珵一提出南遷，他馬上跳起來阻止，宋室南遷的歷史給他的印象太深刻了。宋朝人的筆記《堅瓠集》中有一段風波亭的故事，于謙每每歡喜與人討論。

據說岳武穆班師過金山寺，遇到禪師道月。道月勸告岳飛：『你切切不要赴京師，以免發生不測。』

岳飛不理會，他回答：『朝廷連下十二道命令，我豈能置之不理。』

道月歎了一口氣道：『岳將軍執意要走，貧僧也攔你不住，唉！』於是，道月濡筆揮毫，寫了一首詩送給岳飛。

岳飛接過來一看，上面寫的是：『風波亭下水滔滔，千萬堅心把柁牢，只恐同行人意歹，將身推落在深濤。』

岳飛問道月：『高僧意所何指？』

『你慢慢就會明白。』道月不再多做解釋。

後來，岳飛到了臨安，以『莫須有』的罪名，被關入了大理獄。抬頭一看，忽然望見亭上有一塊匾，匾上題名爲『風波亭』，這才了解道月的詩中含義。

秦檜也聽說了這一件事，立刻派出獄卒何立前往逮捕道月。何立到了金山寺，發現道月正在聚衆講道。何立心想，公然逮捕高僧，恐怕會引起群衆暴動，不如待道月講完再動手抓人也不遲。

道月是何等聰明之人，他瞄了一眼何立，突然之間，話題一轉，開始說：『我今年四十九歲了，是非日日有，不爲自家身，只爲多開口。何立從南來，我往西方走，不是佛力大，幾乎落人手。』說著，竟然坐著就死了，走入西方極樂世界。

于謙經常對友人說：『岳飛求仁得仁，他明明知道，做爲一個忠臣，不一定有好的下場，但是，他依然勇往直前。人生百年，不過一個短短的過程，我願意效法岳飛。』

于謙爲了明志，還寫了一首詩〈詠石灰〉，這首詩流傳千古，爲世人所傳誦。

『千鎚百鍊出深山，烈火焚燒非等閒，粉身碎骨渾不怕，只留淸白在人間。』

他把自己比擬爲石灰，不在乎千鎚萬鑿，不懼怕烈火焚燒。于謙對國家民族有一份熾熱的愛，這一份愛情，凝成悲壯的美。他知道，任何絕美與苦難永遠是並存的，因此，寧可躍入塵世的洪爐，爲了留一點點清白在人間。

明英宗復位，立即下令逮捕兵部尚書于謙與大學士王文。兩人下繫錦衣衛大獄。

于謙與王文都是官高位崇，尤其于謙乃世所景仰的英雄人物。錦衣衛雖是皇帝的特務機關，平素濫用酷刑，但對此二人心存顧忌，怕天下人不服，於是，錦衣衛奏請，改由三司來審理。

從唐、宋到明朝，三司一向是中央政府審理司法案件的最高層級，三司指的是三個機關——刑部、大理寺與都察院（唐宋二代稱之爲御史台），凡是重大案件，都由三個機關的首長共同來審理。

徐有貞與石亨暗中唆使了一御史上了一個奏章彈劾于謙與王文。告于謙『謀迎外藩入繼大統』，意思是說：于謙與王文計畫迎接宣宗的姪兒襄王來繼承王位。

三法司主審是左都御史蕭維禎。蕭維禎爲人奸詐而陰險，早就對于謙不滿意，今日于謙落到他的手裡，正可以發洩自己心中的積怨。

其實，不止是蕭維禎，其他的御史也都反對于謙。他們看到于謙建立了大功，又受到皇帝的信任，便大肆攻擊于謙。

當于謙打敗也先之後，御史們就開始發酵吃醋。都御史羅通首先彈劾于謙，說于謙開列的戰爭功勞簿不公平。接著御史顧曜也彈劾于謙把持權柄，獨裁專斷。其實，御史們的彈劾主要是因爲于謙處事認眞，絕對不徇私，很不給御史們的面子，妨礙到御史們的旣得利益。

因此，當蕭維禎開始辦于謙的案子，立刻有不少御史給蕭維禎打氣：『好好辦，讓大家看一看御史的威勢。』

蕭維禎則拊掌而笑：『哼，想不到一向自以爲是的于謙也有今天。』

閱讀心得

【第828篇】于謙對事不對人。

于謙允文允武，打敗也先，明英宗才得以安返明朝，但是，明英宗即位第一件事就是辦于謙，事實上，于謙爲人耿直，他平日得罪的人太多太多了。

景帝對于謙極爲信任，凡是任用比較重要的官員一定先與于謙密談。于謙就一定知無不言，言無不盡，把那人的優點缺點一一具實回答，絲毫不隱瞞，他完全是大公無私，既不庇護自己的親朋好友，也不會傷害對自己不友善的敵人，純粹就事論事。

可惜，一般中國人向來對人不對事。再加上，宮廷之內原是很難保密的，景帝與于謙的談話往往被外洩。於是，被于謙批評而不得任職者怨恨于謙，有些人雖被任用，但是能力不及于謙，同樣嫉妒于謙。

于謙一心爲國，卻落得老是被彈劾，受批評，也不免會生氣，他常手撫胸口，長長歎息：『我這一腔熱血要灑到哪裡去啊？』如果于謙遇到一個昏君，于謙恐怕早就血灑殿廷了，幸而明景帝頭腦很清楚，也能夠明辨是非，全力支持于謙，于謙感激景帝的知遇之恩，更加賣命努力。

無論徐有貞或是石亨，提起于謙，總是恨得牙癢癢的。但是，于謙完全不明白，也毫無感覺，因爲于謙心思純潔，對事不對人。

譬如徐有貞，他本名徐珵，土木堡之變時，主張南遷，于謙情急之下大吼：『誰再主張南遷者，應當斬首。』

這件事讓徐珵灰頭土臉，但是，于謙僅就徐珵這一段發言有感而發，基本上，于謙還是認爲徐珵博學多才，研究天文、地理、兵法、水利、陰陽，是個頗用功的人。

景帝即位以後，徐珵擔任監察御史，急於想升官，但是，他的南遷主張一直被內廷的當權宦官當成笑談資料，所以升不上去。

有一天，徐珵特別去拜訪大學士陳循，並且將一條玉帶送給陳循。

『陳大人，』徐珵滿面笑容道：『我觀測星象，發現陳大人即將高升，我預測陳大人就要配玉帶了。』

陳循接過玉帶，半信半疑。

過了幾天，景帝下詔加陳循『少保』的官銜，陳循大喜，認爲徐珵能夠預知未來，屢次向景帝推荐徐珵可用。當時用人的決定權幾乎全操在于謙手裡。徐珵便透過陳循，希望能夠活動到國子祭酒。國子祭酒是國子監的長官，類似今天的國立大學的校長。

于謙知道徐珵博學，向景帝建議任命徐珵爲國子祭酒。

『是那個主張南遷的徐珵嗎？』景帝懷疑地問：『此人心術不正，他去主持國子監，豈不把國子監的學生全都帶壞了嗎？』

於是徐珵的升官計謀又中斷了，他直覺地認定，這必然又是于謙從中作梗。對于謙更加怨恨。

『升官不成，這是你的運氣不佳。』陳循勸徐珵不必冒火：『不如改一個名字，也許可以換一個運氣。』

『對啊，謝謝陳大人的高見。』徐珵連忙作揖。

徐珵從此改名爲徐有貞。

景泰三年，黃河在山東決口，于謙推舉徐有貞去治水，景帝擢升徐有貞爲左僉都御史，負責治水的工作。

徐有貞到了黃河邊的要地張秋，觀察黃河的水勢，然後上了一個奏章，提出治水三個計畫：一是置水門，就是設置水閘來調節水量；二是開支河，就是挖鑿一些小河來疏導黃河的洪水；三是濬運河，就是把原有的南北大運河加以疏濬來容納黃河的水量。

明朝政府利用大運河將南方的物資運到京師北京，稱之爲漕運，當時負責漕運的都御史王竑認爲治水可不能影響漕運，便上奏章請求急塞黃河決口。

景帝下詔，命令徐有貞照王竑的建議去做，徐有貞不肯，他上奏章道：『運河水洩，由來久矣，並非因爲黃河決口未堵塞之故，今天堵塞了，明年春天黃河水漲，還是會決口的。所以，堵塞決口，是一件徒勞無益的事。堵塞決口是馬上可見功勞的事，但是，臣不願意接受這一種功勞。』

景帝把兩種意見詢問于謙，于謙知道徐有貞在生他的氣，但是，于謙以爲徐有貞的主張是對的，全力爲他解釋，最後，景帝批准了徐有貞的計畫。

徐有貞奉到詔令，徵集民力費了五百五十天的工夫，開了一道『廣渠』，又建立了一道『通源』閘，並且修築了幾處堤堰，疏濬了一些黃河支流，經過一番整理，黃河水患終於暫時解除了。

景帝對徐有貞的印象爲之一變，擢升他爲左副都御史。

徐有貞知道于謙幫了忙，但是，對于謙的怨恨未曾稍減，奪門之變成功，徐有貞迫不及待要報復了。

閱讀心得

【第829篇】

于謙得罪石亨。

明英宗復位頭一件事，就是接受徐有貞、石亨的建議，把于謙關入錦衣衛的大牢之中。

于謙得罪徐有貞還事出有因，他會得罪石亨則是比較奇怪的事。石亨是一位彪形大漢型的武將，英宗正統年間，屢立戰功，晉升到都督，在北方防邊。也先入侵，英宗被俘，石亨領兵與也先大戰於陽和口。在這一場戰役之中，石亨戰敗，虧得他機警過人，兵慌馬亂之中單騎逃回。回來之後被削職，于謙知他是人才，向景帝請求赦免石亨，而且派石亨領兵十萬以禦敵。

石亨平日自恃爲大將軍，趾高氣揚，誰也不放在眼中，現在受到于謙的提拔，可是心中並不服氣于謙，又畏懼于謙，所以心裡對于謙是滿懷討厭。

不久，也先與明軍在北京城德勝門外打一仗，于謙擔任明軍總指揮，石亨受命領兵在德勝門外面，結果明軍大勝，論功勞，當然于謙第一，但是于謙把首功讓給了石亨，石亨因而被封爲侯。

這下子，石亨十分慚愧，于謙對自己如此厚愛，自己竟然如此討厭于謙。從此以後，石亨一改對于謙的態度，並且極力想要討好于謙。

有一天，石亨身邊的一個參謀出了一個主意，他建議石亨上一奏章給皇帝，推薦于謙的兒子于冕到京師來作官，石亨一聽大喜，連忙拍著參謀的肩膀道：『你眞聰明。』，立刻依計而行。

第二天，景帝召見大臣，于謙和石亨也在內，景帝拿出石亨的奏章，對于謙說：『石將軍上奏章推薦令郎到京任官，朕覺得很好，立刻宣于冕進京。』

于謙聽到景帝的話，先是楞了一下，接著便向前一步，嚴肅的回答：『當前國家多事，臣子義不得顧私恩。石亨位列大將軍，從沒有聽過他推舉一位幽隱之士，也沒聽說他提拔過任何一個行伍之卒，可見石亨不想發掘人才，卻獨獨推薦臣的兒子，大家會怎麼想呢？臣主管軍事，賞罰公平，有功則賞，有罪則罰，力求公正，杜絕僥倖，所以，臣絕不敢讓自己的兒子濫冒功勞。』

于謙的話義正詞嚴，講得極有道理，但是也很不給石亨留面子。石亨在一旁聽得直冒冷汗，臉上一陣青一陣白，石亨原是想要討好于謙的，沒想到反而被于謙在景帝面前罵得狗血淋頭。

石亨氣壞了，暗暗地緊握雙拳，低著頭，心裡發著誓：『我一定要報仇，于謙，我要讓你不得好死！』

于謙抬頭望望景帝，只見景帝微微地點頭，似乎有讚許的意味，于謙覺得心裡很坦然，對於石亨的恨意，于謙是渾然不知。

奪門之變成功，于謙被捕下獄，他仍然絲毫未察徐有貞、石亨等人的恨意。聽說要下獄，于謙也沒有神色慌亂，匆忙之中，他順手拿了一、兩本書，也沒考慮到牢中昏暗，如何能夠閱讀，他眞是很喜歡看書，曾經寫過一首詩，詩中有一句：『書卷多情似故人，晨昏憂樂每相親。』現實人生之中，于謙不容易覓到知己，書本是他晨昏最佳良伴了。

在大審的公堂之上，同樣嫉恨于謙的蕭維禎十足威風，他對于謙、王文厲聲道：『有人告你二人謀迎外藩入繼大統，你們從實招來。』

于謙仍然一臉傲然，他搖搖頭：『從無此事。』

王文則激動地說：『按照祖宗的成法，召親王要用金牌、信符。如果派遣使者去迎接，必有馬牌，兵部要發勘合，才能進行。這些程序十分清楚，你可以查啊！你不能沒查證就隨隨便便誣賴我和于大人。』

『好，先查兵部。』蕭維禎陰沈沈地冷笑：『傳兵部主辦官員到堂。』

兵部主管勘合的官員是車駕司主事沈敬。

沈敬被錦衣衛如押解囚人一般地帶入公堂，蕭維禎用威脅的口吻問道：『于謙和王文召親王來京，可是你勘合的？』

蕭維禎的話，實際上是個極明顯的暗示，告訴沈敬，你只要回答一個『是』就成了。

一般人把錦衣衛看得比虎狼還要可怕，加上公堂裡一股讓人喘不過氣來的氣氛，如果換了別人一定會順著蕭維禎的話回答：『是』，可是，沈敬卻是一條硬漢，他朗聲回答：『從來沒有發勘合給任何人去迎親王入京。』

于謙跟著接口：『蕭大人，』于謙大聲道：『兵部既未發勘合，可見所謂迎親王入京事，根本就是誣告，不然，你可以再追查召見親王的金牌與信符。』

蕭維禎狠狠瞪了一眼沈敬，心中怨他不合作。

閱讀心得

【第830篇】

朶兒的執著。

于謙被捕下獄，蕭維禎誣指他謀迎外藩入繼大統，卻又提不出任何證據。

按召親王的金牌與信符都存在孫太后手中，蕭維禎當然知道此事無法向孫太后去查證，孫太后是何等精幹的角色，她又怎會容許人去迎親王當皇帝，讓自己兒子英宗無法復位。

『不必追查金牌、信符了。』蕭維禎霸道地宣布：『于謙召沈敬密謀，欲迎親王入京，議定卻來不及實行。』

『胡說！』王文舉起右手，指著蕭維禎：『什麼叫議定而來不及實行，證據呢？拿證據來！』

『既是密謀，何來證據？』蕭維禎狡辯。

『沒有證據，怎麼可以誣賴是密謀？』王文氣得全身發抖。

『哼！不需要證據也可以定罪的例子多得很呀！』蕭維禎沈下臉道。

蕭維禎的話，立刻讓人想到秦檜以『莫須有』罪名定了岳飛的死罪。

于謙看到王文憤怒的表情，苦笑地說：『王大人，這是石亨他們的意思，今天的罪名既是他們老早安排的，你又何必枉費口舌來辯解哩！』

『嗯，還是于謙識時務。』蕭維禎說：『這事情的主意出自朝廷，你

們承不承認沒關係，結果都是一樣的。』

於是，于謙、王文以謀逆的罪名處以死刑，沈敬被處以同謀的罪名，充軍鐵嶺。

三法司的審判結果立刻送進宮去，英宗看到于謙要被處死，突然之間，良心有點不安，他對身旁的徐有貞說：『畢竟于謙對國家是有功的。』

『于謙有功於國家，負罪於陛下。』徐有貞說：『若是不殺于謙，陛下復位之事就找不到理由了。』

聽徐有貞一說，英宗不再猶豫，提起硃筆，批准了三法司的判決。于謙的死罪一定，那些擅長於觀察風向的官員立刻群起而攻擊于謙，甚且有人建議要誅族，有人又建議凡是于謙保舉的文武大臣一律誅殺，這些過分的建議，英宗沒有採納，他心中何嘗不知于謙之正直，無人能比擬。但是，由此可見官場之中人心醜惡。

于謙被處死的那一天，行刑的菜市口擠滿了人，人人痛哭流涕，如喪考妣。忽然之間，天地間烏雲四合，一陣淒冷的北風颳得黃沙漫天，在刑場邊的老百姓紛紛仰天，雙手合十，淚水如同泉水般不斷不斷地流下來，他們心裡有一個共同的感受：『老天爺啊，你和我們一起哭吧！』

于謙被殺，于謙的家人被充軍到了邊疆，錦衣衛帶著一群軍士，如狼似虎地擁進了于謙家中，軍士們推開了于家的大門，發現堂堂太子少保兼兵部尚書的家竟然是如此寒傖，破舊的家具和一些書籍以外，幾乎沒有任何值錢的東西。

『于大人的家好像比我還窮。』一個軍士說。

『不可能的，一定把寶貝藏起來了。』另一個軍士說。

『後面有一個房間上了鎖，快來看。』突然，一個聲音自房後響起。

於是，一個軍士拿起佩刀，一刀砍斷了鎖，大夥兒蜂擁而入。只見裡面是一個面積不大的房間，房間正中央掛著景帝賜給于謙的蟒袍和刀劍，似乎于謙從來沒有使用過，只是供著當紀念品而已。

軍士們呆住了，有點兒失望，卻也有更多的尊敬。

于謙被殺，不但老百姓哀傷不已，朝廷裡也有少數有良心的官吏痛哭失聲。

譬如，太監曹吉祥，他有個部下，擔任錦衣衛的指揮，名叫朵兒（有些史書稱之爲『多喇』)，朶兒原是蒙古人，有塞外男兒的豪邁，他平日敬佩于謙的爲人，于謙臨刑的那一天，朶兒備了酒，備了菜，到刑場去哭拜。

曹吉祥知道了，把朶兒打了一頓軍棍。到了第二天，朶兒扶著傷，仍然到于謙處斬的地方去哭祭，似乎完全無懼於曹吉祥再來一頓毒打。

人們對于謙之死有無限的哀傷，但對於和于謙一同處死的王文卻少有同情之感，雖然王文與于謙一般，同樣是以『莫須有』罪名含冤而死的。

王文原名王強，永樂十九年進士，王文是宣宗賜的名，王文爲人深沈，景泰五年，江淮大水，王文奉命巡視江南災區，逮捕盜賊兩百人，他爲了誇大自己功勞，把兩百名盜賊定爲『謀逆大罪』，其實後來經過查證，兩百名之中，只有十六人是因飢餓不得已做了強盜，其他人只是倒了楣，完全沒有犯法，至於謀逆之罪，那根本連邊都談不上。
兩相對照，更可見于謙一心爲國，一心爲民衆，他不夠圓滑，不會做人，他用一顆熱騰騰的心愛國家愛人民，最後竟然被冤而死，正應了他所寫的〈石灰詩〉：

千錘百鍊出深山，
烈火焚燒非等閒，
粉身碎骨渾不怕，
只留淸白在人間。

好一個『只留清白在人間』。

于謙死了以後，徐有貞不准任何人收拾于謙的遺骸。有個都督同知陳逵不顧禁令，還是把他的屍體給埋葬了。後來于謙的女婿朱驥把于謙的靈柩運回他的故鄉杭州，埋葬在西子湖畔，與南宋的民族英雄，也是于謙最敬仰的岳飛墓葬在一起。

因此，後人便以『賴有岳于雙少保，人間始覺重西湖』的詩句來稱頌岳飛、于謙兩位忠臣。

閱讀心得

【第831篇】商輅連中三元。

在奪門之變成功之後，還有一位因而受害者，那便是商輅。

商輅在鄉試時考了第一，當時稱爲解元，禮部會試又第一，稱之爲會元，殿試再第一，得到了狀元，這連中三『元』的事極爲難得，整個明朝兩百多年之中，也只有商輅一個人是『三元及第』。

英宗復位之時，商輅擔任左春坊大學士，被召入到文昭閣受命草擬復位詔書。商輅剛剛走出文昭閣就被石亨攔住。

『皇上命令商先生寫復位詔，是嗎？』石亨問。

『不錯。』商輅好奇地盯住石亨。

『復位詔中只要大赦罪犯好了，商先生別再列其他的條款。』石亨用命令的語氣說。

原來從明仁宗開始，皇帝登基要下即位詔書，詔書中除了宣布要大赦各類罪犯的刑期以外，還要對前朝的一些弊政加以革新或是廢除。石亨怕的就是商輅把景帝時代的一些不良措施廢除，會影響到石亨的利益。

當景帝即位之初，瓦剌大軍來犯，京師危急，爲了保衛國家，一切以軍事爲優先，將領們握有大權，朝廷也約束不了他們，於是將領們便利用大權做出不少害民的事。譬如強佔民房，強派老百姓服勞役等。後來局勢

三元及
商輅
狀元

雖然安定，但是將領們仍舊以軍事所需為藉口，繼續做壞事，石亨便是最會做害民之事的將領，所以極怕商輅在詔書中加上革除將領們特權的條款，影響到既得的利益。

『我會遵照傳統制度辦理。』商輅說。

『商先生，請你多加考慮。』石亨威脅著說。

『我不必考慮。』商輅固執地說。

『好，你等著瞧。』石亨氣得轉身而去。

不久之後，有個御史上疏彈劾商輅和王文朋比為奸，主張迎立襄王之子做皇帝，於是商輅被捕，關入錦衣衛監獄。後來，虧得太監興安說盡了好話，把商輅放了出來，不過，英宗仍舊下詔將商輅革職為民。

于謙、王文與商輅三人得罪的原因相同，全是欲迎襄王的兒子入京爲太子。其實，襄王是一個本分、老實、謙讓的人，對皇位從無覬覦之心。土木堡之變，英宗被俘以後，襄王曾經上書朝廷，請求立英宗之子爲天子，並且召募勇士赴瓦剌迎回英宗。後來，景帝即位，所以奏章就留在宮中的收發處，沒有加以處理。

等到英宗被送回京師，被尊爲太上皇。襄王又上了一個奏章，建議景帝早晚向英宗問安，每月的初一、十五，皇帝應率領群臣去朝見上皇。英宗復位不久，這兩個奏章被找了出來，英宗看了大爲感動，他心中明白所謂于謙、王文要迎襄王之子入京之事，全是石亨、徐有貞胡扯，不過，于謙、王文已死，皇帝又不便也不願意自行認錯，於是覺得應該對襄王表示心無芥蒂了。所以，英宗下詔召襄王入京。

襄王離開京師時是宣德四年，那時英宗還是一個四歲大的小孩。現在襄王回到京師，叔姪兩人當然都不認識。不過，襄王天性淳厚，英宗內心裡也有愧疚，在這種心情之下，兩人見面倍加親切。

英宗爲了表示歡迎的熱忱，親自赴左順門迎接，接風的盛筵設於崇仁殿，英宗要依家庭長幼禮儀，請襄王以叔叔的身分上座，襄王一再謙讓表示不肯，兩個人推來讓去，最後採取一個折衷的辦法，在一張檀木大方桌的兩邊，東西相向而坐。

『王叔，』英宗高舉酒杯：『請乾了這一杯。』

『臣酒量太淺，不過這一杯不能不乾。』襄王站了起來，舉杯一飲而盡。

叔姪兩人邊吃邊談，談到了英宗在塞外受苦的情形，兩人不禁對哭了一陣。

英宗並且客氣地說：『我很想知道地方官吏的好壞，王叔如果知道有賢能之士，請一定告訴我。』

襄王在京師，英宗天天陪伴著，到處遊玩，百官伺候，隨從成群，成爲京師裡的新聞焦點，襄王自覺榮寵太過，有些兒不安，急急告辭。

英宗見襄王辭意甚堅，只得答應，特別下令兵部爲襄王增加護衛，又命令工部爲襄王建立壽藏（就是墳墓，中國古人往往在生前就建好自己的墳墓，毫無忌諱，而且覺得如此才放心）。

襄王臨行之前，英宗親自送到午門外，握手泣別。

閱讀心得

【第832篇】

奪門功臣的內鬥。

《論語》里仁篇中有一句話『君子喻於義，小人喻於利。』君子交結是基於公義，小人聯合是汲汲於利。既然是因爲利害相結合，很自然的，也會因爲利益相左而衝突。

奪門功臣徐有貞、石亨、曹吉祥正是如此。

奪門之變成功，徐有貞立了大功，入閣爲大學士，其他老閣臣如胡濙、高穀、王直等人相繼離職，徐有貞在內閣大權獨攬，內外群臣對徐有貞無不側目。徐有貞一向自命不凡，如今更加意氣飛揚，隨時入宮晉見皇帝，成爲中央政府中的第一號紅人。

徐有貞春風得意，對曹吉祥、石亨二人愈加輕視，他自認爲是徐才子，曹吉祥是個太監，石亨是個武人，豈能與他平起平坐，所以，一心一意與他二人『劃清界線』。

再說，石亨與曹吉祥原本是粗線條的人，英宗對此二人也有點兒厭煩，徐有貞察覺到這一點，更加決心要排擠石亨與曹吉祥，逮住機會就讓此二人難堪。

恰好，御史楊瑄赴河南巡察，遇到一批老百姓攔路告狀，說是曹吉祥、石亨奪他們的田。楊瑄回到京師，立刻上了一個奏章，把曹、石二人的劣

跡惡行，一一開列出來。

徐有貞不斷在旁邊助陣：『楊瑄，眞御史風骨也，佩服之至。』

曹吉祥聽到消息，著急地跑到英宗面前哭訴喊冤，不停地爲自己辯護，英宗面無表情，不過，吩咐了吏部，把楊瑄的名字登記下來，準備重用。

石亨與曹吉祥大爲恐慌，憤憤不平的責罵徐有貞：『想當初奪門之前，若不是你我援引，他有今天嗎？竟然過河拆橋，太不夠意思了。』

曹吉祥說：『依我看來，楊瑄之事根本就是徐有貞幕後指使，咱們再不反擊，就只有死路一條。』

石亨問：『你可有妙計？』

曹吉祥瞇著眼睛道：『徐有貞看不起太監，就讓他栽到太監手裡吧！』

曹吉祥利用小太監撥弄一下，果然徐有貞就雞飛狗跳了。

原來，明英宗經過奪門之變，頗爲欣賞徐有貞的足智多謀，徐有貞又能說善道，把明英宗哄得樂陶陶。因此，英宗時時找徐有貞，兩人密談，往往一談就是幾個時辰，外人不知談些什麼，只知徐有貞威風八面走進來，莫測高深的走出去，當然，談了一些什麼內容，外人是不得而知的。

曹吉祥派了幾個小太監，命令他們在窗外偷聽皇帝與徐有貞的談話。皇帝一向不把太監奴才當個人看，也沒注意隔窗有耳。

小太監不敢得罪曹吉祥，立刻把聽來的消息，一五一十回報曹吉祥。

曹吉祥揀了一個機會，晉見皇帝。然後，有意無意，閒閒談及英宗最近想做的事。

英宗吃驚的問：『你怎麼會知道這件事？』

『這個是徐有貞說的。』

『這是朕單獨和徐有貞一個人說的，他幹嘛對你講？』英宗皺起了眉頭，顯然十分不悅。英宗轉念一想，曹吉祥與徐有貞近日不和，恐怕是故意栽贓，因此，又淡淡地說：『其實這件事，朕也和其他臣子談過。』

曹吉祥不放鬆，又加了一句：『萬歲爺，老奴還聽到了幾件事。』曹吉祥把偷聽到的事又說了幾件，連每件事的日子都說了。

『哦！』英宗的眉毛打了結，他原先不相信曹吉祥的話，現在連日子都有了，不能不相信是徐有貞洩露的了。

『萬歲爺，這些事不只是老奴知道，外面的人都曉得了。』曹吉祥火上加油又添了一句。

『嗯！』英宗勉強壓下怒火，事實上氣得想爆炸，他心忖，不料徐有貞如此不牢靠，敢情是個大嘴巴，以後，再也不能與徐有貞共商大計了，危險，危險。

徐有貞不知道英宗生了氣，依然很興奮地跑去見英宗，英宗十分惱怒，幾乎想大罵他一頓：『你這般不當心，到處亂講話，把自己的前程都給斷送了。』

古代皇帝一向疑心病重，不敢相信人，英宗難得相信了徐有貞，內心十分後悔，表現在外的，則是臉色陰沈，悶悶不樂，一改往日說說笑笑的親密。

徐有貞不明就裡，弄不清楚發生了什麼事，只是他很難過地發現，從此以後，皇帝明顯地疏遠了自己。

閱讀心得

【第833篇】

御史集體彈劾石亨。

奪門之變的功臣徐有貞、石亨、曹吉祥彼此內鬥，曹吉祥略施小計，使得英宗認定徐有貞是個守不住秘密的大嘴巴，逐漸地疏遠了徐有貞。

從此，石亨、曹吉祥更加作威作福。都察院裡的一些清流御史們，個個看不慣。

一天早上，御史張鵬說：『昨晚天象有異，顯然是石亨、曹吉祥二人壞事做多了，我們應該藉機彈劾這兩個人。』

『我贊成！』御史周斌接口：『一個人上奏章，人單力薄，不如大家聯名。』

御史們都贊成，一塊兒聯名彈劾石亨、曹吉祥。

石亨在前一天方才西征還朝，聽到這個消息，非同小可，馬上去找曹吉祥商量對策。

曹吉祥倒是不慌不忙，趕緊安慰石亨：『你別著急啊，別忘了，彈劾案中領銜的人是張鵬。』

『那又怎樣？』石亨問道。

『張鵬不是別人，他是張永的侄兒。』

『張永不是先皇帝所寵信的太監？』

『正是！』

一聽此話，石亨眼睛一亮。原來英宗最恨景帝，凡是景帝所重用過的太監如王誠、舒良、張永全被下令處死。即使人死了，英宗依然餘怒未消，每次想起，仍舊氣得牙齒咯咯作響。

當天晚上，晚餐過後，英宗一個人坐在大躺椅上休息，曹吉祥與石亨一同進來，行了跪叩禮，站在一旁。

『你們晚上來這兒，有急事嗎？』英宗懶洋洋地閉起眼睛說。

『皇上，』石亨用急促的聲音說：『河南道掌道御史張鵬是張永的侄子，張鵬爲了替他叔叔報仇，結黨誣陷臣與曹吉祥，請皇上作主。』

英宗睜開了眼睛：『張鵬是張永的侄子？』

『是的，老奴在宮中很久，知道張永有個侄兒，張鵬就因爲有張永的撐腰才能掌河南道。』曹吉祥想了一會兒，又把徐有貞拉下水：『不過，如果沒有徐有貞建議張鵬報仇，張鵬恐怕也沒那個膽子。』

曹吉祥煽風點火之下，明英宗耳根子軟，果然怒氣沖沖。

第二天，英宗果然看到張鵬領銜，衆御史們連署的彈劾石亨、曹吉祥的奏章，由於英宗已先入爲主，聽了曹吉祥的話，怒由心生，看都不想看，把奏章一擲，奏章飛落到地上。

御史周斌從地上撿起了奏章，朗聲唸道：『臣浙江道掌道御史周斌，謹陳奏……』

周斌拿著奏章逐條朗讀，偶爾加以補充，對石亨、曹吉祥的罪狀說得十分清楚，氣定神閒，從容不迫。英宗雖然心裡討厭這批御史，但是奏章所說石亨、曹吉祥的罪狀都有根有據，只好耐著性子聽下去。

當周斌唸道：『冒功濫賞。』這一條，英宗揮一揮手，制止了周斌。

『石亨、曹吉祥等人率領將士迎駕，朝廷論功行賞，你們怎麼說是冒濫？』英宗的語氣顯得很煩躁。

『當時迎駕只有數百人，光祿寺奉旨賞給酒食，當時領賞的名冊都在。如今，藉著迎駕之名而封爵升官者多至數千人，不是冒濫是甚麼？』周斌的語氣理直氣壯，像是在質問皇帝，英宗也答不上話來。

周斌唸完奏章，英宗面色沈重，命御史們退出，到午門候旨。

御史們一退，曹吉祥、石亨立刻求見。

『萬歲爺，』曹吉祥跪下來磕頭：『想當初，我與石亨冒著滅族的危險到南宮迎駕，這一份忠心，萬歲爺明察啊！』

說著，石亨與曹吉祥相對大哭。

石亨眼淚汪汪道：『若不是徐有貞想除掉臣等，哪會有這樁事？』

英宗被這二人悲傷的哭聲感動了，離開了御座，揮手要石亨、曹吉祥站起來。

『朕會處理此案。』英宗說：『曹吉祥，朕想知道，言官裡有沒有反對徐有貞的？』

『有，有。』曹吉祥連聲答應：『給事中王鉉就不依附徐有貞。』

『好，你要言官上一個奏章，彈劾徐有貞、李賢。』英宗說完，步出了文華殿。

不久，候在午門的御史張鵬等人接到諭旨，所有在奏章上署名的人一律逮捕下獄，所有的人呆若木雞，皇上竟然如此護短！

閱讀心得

【第834篇】

馬士權的遺憾。

奪門之變成功以後，徐有貞、石亨、曹吉祥內鬥，石亨與曹吉祥說動了明英宗，以『圖擅威權，排斥勳舊』的罪名，提出了彈劾案。

徐有貞還不知情，仍然在文淵閣吆來喝去東指揮西指揮，錦衣衛都指揮門達走了進來，作了一個揖：『請徐閣老委屈到我那兒走一趟。』

徐有貞明白『我那兒』是指錦衣衛，心裡頓時一驚，但是，馬上就鎮定下來：『是有中旨吧？』

『中旨』就是宮中的諭旨，也就是皇帝的命令。

『是的，徐閣老請看。』門達拿出一張紙條。

這件案子最後送到三司會審，張鵬、楊瑄被判了死罪，其他在奏章上聯名的御史一律充軍；徐有貞貶官為廣東參政。

徐有貞沒死，石亨大不放心，他太了解徐有貞為人陰險，如果有機會報復，後果將不堪設想，所以無論如何一定要把徐有貞置之於死地。於是，指使人投了一封匿名信，信中大罵皇帝。

英宗本來器量最小，看到匿名信當然感到不悅，下令追查，石亨乘機向英宗報告說：『徐有貞被貶官以後，內心不服氣，所以叫他的門客馬士權寫了這封匿名信來罵皇上，為的是想洩一洩憤。』

『傳旨立刻逮捕徐有貞與馬士權。』

徐有貞被貶到廣東，從京師南下，才走到通州，就被錦衣衛的人馬追上，打入錦衣衛大牢之中。馬士權被打得幾度暈死過去，卻始終不肯承認寫了信。

英宗天順元年七月，京師承天門發生火災，這是一件很罕見又離奇的事，找不出任何失火的原因，大家都說，這是『天火』，是老天爺放的火，讓皇帝有所警惕。

古人多半很迷信，英宗也不例外，『天火』燒承天門絕非好事，亦非好徵兆，於是下詔書宣布大赦。

石亨擔心徐有貞被赦，又想出一條毒計，說徐有貞圖謀不軌，『竊弄國柄，罪當棄市。』（棄市就是在街頭執行死刑。）

明英宗卻認爲，徐有貞的犯罪行爲是在大赦之前，所以也在赦免之列，於是免徐有貞死，充軍到金齒，馬士權則釋放出獄。

徐有貞與馬士權同時出了錦衣衛的大獄，徐有貞摸著馬士權的背說：『你眞正是一位義士，情願一死也不願意害我，我有一個女兒，將來會嫁給你。』

徐有貞充軍到金齒，過了幾年，遇到大赦，皇帝免了徐有貞的罪，徐有貞回到故鄉江蘇。馬士權也趕到江蘇，問候徐有貞，徐有貞表面很親熱，但是一看馬士權還是一領白衫，連個一官半職也沒弄到，絕口不提婚事，馬士權心裡明白徐有貞賴婚，只得告辭而去。

徐有貞回到家鄉，仍然戀戀不忘官場，仍然像隻小老鼠，天天半夜爬到屋頂看星象，看看自己有沒有東山再起的機會。

徐有貞被判罪，內閣大學士出缺，英宗以岳正為大學士。岳正是英宗正統十三年會試第一名獲得進士，英宗復位時，官任翰林院修撰，工作是在宮中教小太監們讀書，實在有點大材小用。

英宗在文華殿召見岳正，岳正個子瘦高，掛著漂亮的黑鬍鬚，風度高雅，英宗一看便有好感。

『你年紀多大？』英宗問。

『臣年三十八歲。』岳正朗聲回答。

『哪一年中的進士？』

『臣正統十三年進士，僥倖得到會元。』

『很好，』英宗點點頭：『你正年輕，又是朕在位時所錄取的進士，朕用你爲內閣學士，希望你盡力任職。』

『叩謝皇上，臣當竭盡綿薄，縱使肝腦塗地，在所不辭。』岳正跪在地上磕頭。

岳正從文華殿出來，走到左順門，正好遇到石亨進宮，石亨懷疑地望著岳正，心想：『這傢伙幹嘛到文華殿來？』

石亨剛踏入文華殿，英宗就很高興地說：『朕今天已選擇了一位閣臣。』

『不知道是哪一位？』石亨問。

『岳正，你看如何？』

『皇上英明睿智，選擇當然不錯。』石亨嘴裡在拍馬屁，心裡卻不以爲然。

『只是岳正現任修撰，官位太低，如果升他爲吏部左侍郎兼內閣學士，是不是比較好？』英宗望著石亨。

『皇上既然拔擢人才，不如先讓岳正做做學士看，如果稱職，再讓他升官也不遲。』石亨忍不住表示反對。

英宗不再說話，下詔岳正以修撰兼學士。

閱讀心得

【第835篇】

岳正得罪權貴。

岳正以小官而被英宗拔擢兼任內閣學士，對英宗有一份強烈的知遇的感激，發誓要竭誠盡忠，以報答皇帝。於是，處事必公正守法，不肯敷衍塞責，也不肯附和權貴，所以得罪了不少達官貴人。

欽天監湯序是石亨的黨羽，他報告英宗說近來觀察天象，發覺常有災異，請皇帝罷去奸臣，才能消弭災異。

英宗問岳正該怎麼辦？岳正回答說：『湯序未指名誰是奸臣，如果皇上據此便要罷黜一些官員，會造成人人自危。何況臣覺得湯序不學無術，他哪裡眞的精通天象，他的話豈可相信。』

英宗覺得岳正的話有理，不再理會湯序，使得石亨大爲不滿。岳正並非不知曉，依然直道而行。

京師裡有一個和尚，歡喜胡言亂語，不知甚麼緣故得罪了一個錦衣衛的巡邏卒，這名和尚及廟裡其他和尚都被捕下獄。錦衣衛審判的結果指和尚謀反。有一個叫牛玉的太監，爲那逮捕和尚的邏卒請賞，要求任官（邏卒不是『官』）。這一件案子經過岳正，岳正反對錦衣衛的判決。

『那和尚只是妖言惑衆，怎能説是謀反，謀反是要處死刑的，這罪太重了。』岳正對英宗説。

『好，就算那和尚妖言惑衆，牛玉請求給邏卒一個官職，又有何不可？』英宗說。

『邏卒的職責便是緝捕非法，有功勞給一些金錢賞物就行了，怎麼隨便給他官職？』岳正語調高亢。

『朕願意賞他一個官位。』英宗面露不悅。

『任官有一定的體制，皇上怎能自己破壞體制？』岳正大聲力爭，口水竟然濺到英宗的衣服上。

『好啦，好啦，你這一個老頑固。』英宗揮揮手要岳正出去。

岳正出去以後，英宗冷靜下來，覺得岳正的態度雖然不好，但卻是據理力爭，岳正是自己提拔的人，這種力爭也表示岳正忠心耿耿。於是英宗下詔對和尚僅以妖言惑衆論罪，其他和尚一律釋放，邏卒只發給賞金。

岳正先是得罪了小太監牛玉，不久之後，他又得罪了大太監曹吉祥。

朝廷接到了一封匿名信，攻擊司禮監曹吉祥，把曹吉祥的罪狀一一列舉出來。曹吉祥看到了匿名信大爲震怒，請求皇帝出賞格捉拿寫匿名信的人。英宗召見岳正，要岳正草擬懸賞的文告，岳正嚴肅地回答：『政府是有體制的，捉拿盜賊是兵部的職責，追查犯罪則是法司的職責。哪有天子出一個榜文懸賞捉拿人犯的事。何況這種事急不得，慢慢來也許那人就會自露形跡，如果急了，那人反而躲藏得更緊密，這原本是人之常情啊。』

英宗一聽，岳正所說的十分合理，便不再追究，當然曹吉祥恨得牙癢癢的。

再説，石亨的侄兒石彪領兵鎮守大同，派使者前來京師獻捷報，説是大敗北方的敵軍。内閣大學士們得到捷報感到十分突然，便召使者前來問話。

『石將軍斬了多少首級？』岳正問使者。首級便是腦袋。

按明朝爲了賞軍功，在正統年間曾經訂了『賞功牌』的辦法。『賞功牌』分爲三種，凡是挺身突陣，斬將奪旗者，賞『奇功牌』；凡是生擒敵兵或是斬首一級者，賞『頭功牌』；雖無功而受傷者，賞『齊刀牌』。軍中以獲『頭功牌』最多，頭功的計算並不是眞正的拿人頭來點數，而是以割左耳爲憑，以左耳數目做爲斬首的數目，清點發賞。

『我們大敗敵軍，殺敵無數。』使者説道：『耳朵割不勝割，石將軍下令將敵人的首級都掛在樹林之中，好讓敵人害怕，不再來侵犯。』

『嗯，你來看，石將軍跟韃子是在這一帶作戰的吧？』岳正指著地圖說。

『不錯，正是。』使者看了地圖點點頭道。

『那麼，這一帶全都是沙漠，哪兒來的樹林？』岳正嚴肅地回答。

使者答不上話來，這一份假的捷報就被揭穿了。

於是，石彪也把岳正恨之入骨。

閱讀心得

【第836篇】

朱三千，龍八百。

岳正勇事敢言，處事光明，從不違法，除了偶爾在皇帝面前會大聲爭執以外，幾乎找不到任何缺點，石亨等人每天都想害岳正，卻無從下手。

天順元年七月，『天火』燒燬了京師承天門，英宗命令岳正草擬一份皇帝的『罪己詔』。英宗的意思是火燒承天門，乃是老天爺發怒，依照中國的傳統，凡是遇到這般重大的『災異』，皇帝都要下『罪己詔』，表示自責和認錯，請老天爺息怒。這罪己詔不過是說一些空洞洞的話，讓老百姓知道皇帝虛心自我反省，行爲簡直像堯舜一樣。

不料岳正竟然『假戲眞做』，把英宗復位以來的弊政如『善惡不分、曲直不辨、賄賂公行、群吏弄法……』一一列舉出來，並且說明這些弊政造成上天譴責，都是由於『朕有所失明』的緣故，自今而後，要『洗心改過，無蹈前非』。

這一道詔書文情並茂，朝野傳誦，言官們根據這一份詔書，紛紛上奏，彈劾石亨、陳汝言、曹吉祥等人。

石亨、曹吉祥一見情勢不妙，立刻進宮晉見皇帝。

『皇上，』石亨說：『詔書中寫了那麼多的弊政，這豈非表示皇上敗德無能嗎？大家都在稱讚岳正，這是給岳正一個沽名釣譽的機會啊！』

『是呀，詔書上寫了那麼多的壞事，那萬歲爺豈不成了昏君嗎？』曹吉祥火上加油又添了一句。

英宗的眉頭皺得很緊，用手搥著桌面：『朕原只要岳正寫一篇官樣文章，沒想到岳正竟然這樣寫，看來岳正不適合做內閣大臣，還是讓他回內書堂去教小太監讀書吧！』

『萬歲爺，』曹吉祥說：『岳正如果仍留在京，他還是可以藉上奏章來誹謗朝廷。』

『好吧，傳旨下去，岳正謫官，貶廣東欽州。』英宗下了決斷。

岳正任內閣學士僅有二十八天，不但免了職，還幾乎送了命。

岳正出京南下，赴廣東時經過通州，回家探望老母，在家住了十天，這在當時的規定是不可以的。陳汝言便命通州的官員提出檢舉，又說岳正侵奪公主的莊田。於是，岳正又被押解回京，打了一百大板，改為充軍到陝西肅州。

兵部派了解差押解岳正到肅州，出發之前，陳汝言交代一路上要讓岳正多吃一些苦頭，解差奉到這指示，便給岳正戴上一副叫做『拲』的手銬。這種手銬是用原木塊製成，木塊上挖兩個洞，岳正的雙手便套在洞裡，木頭硬洞口小，雙手動彈不得，連晚上睡覺也不能解下，這使得岳正痛苦不堪。

走到涿州，晚上住宿驛站，岳正感到胸口悶脹，喘不過氣來，想要用手揉一揉胸口，但是雙手被銬住，無法摸到胸前，岳正心想這樣折磨下去，走不到肅州大概就會死。

也許岳正命不該絕，他在涿州有一個叫楊四的好朋友，聽說他被解經過涿州，特來驛站探望，一看到這個情景，立刻和解差打招呼，買來酒菜，請解差大吃大喝一番，解差喝得酩酊大醉，楊四乘機打開手銬，讓岳正得以自由活動。第二天早晨，解差醒來，楊四捧了五十兩銀子給解差，請求解差多多照顧，解差收下銀子，自然對岳正待遇就優厚多了，岳正才能夠平安地到達肅州。

其實，英宗心裡也曉得岳正忠心，他曾經對人說：『岳正倒好，只是大膽。』

可惜，歷來君主多喜歡膽小的奴才，而不喜歡膽大的傲骨。

石亨等人扳倒了岳正，更加妄爲。自從奪門成功之後，石亨以第一功勞被封爲忠國公，得到英宗的寵信，趾高氣揚，自傲自負，招權納賄，公然貪污。

凡是賄賂石亨的人，石亨便向英宗推薦任官，官位的高低以送錢多少來決定。例如朱鈴與龍文兩人都送了錢，朱鈴送了三千兩銀子，龍文送了八百兩銀子，兩人都升到郎中，朱鈴不滿，便把事張揚出來。

當時人就嘲諷他們是『朱三千，龍八百』。

明英宗斥退岳正，卻重用石亨等人，當然國勢一天一天的衰敗。

閱讀心得

【第837篇】

文華殿前的珠寶展覽。

奪門成功以後，石亨以第一功封爲忠國公，趾高氣揚，恃功而不遜，久而久之，連明英宗都受不了。

石亨與曹吉祥的態度又不一樣。曹吉祥是太監，伺候皇帝慣了，通常採用軟磨的手段，一次不成，再試一次，慢慢地達到自己的要求。

石亨是個武人，他每天進宮，要求這，要求那，如果不准，石亨就吹鬍子，瞪眼睛，訴說奪門之變的功勞。明英宗是個軟弱的人，一看石亨的樣子，心裡一半是害怕，一半是念舊，最後也只好准了，不過心裡頗不痛快。

有一回，明英宗忍不住對李賢說：『此輩干政，四方向我奏事者，往往先走此輩門路，你說，這該怎麼辦？』

李賢回答：『陛下只要獨斷，旁人自然少趨附他們。』

『可是，過去只要不依他們，臉上就馬上怫然不悅。』

李賢溫和地回答：『慢慢制止吧！』

明英宗決定先向石亨的黨羽陳汝言開刀。原來自從上次襄王入京，叔姪二人相談甚爲愉快，英宗下詔爲襄王添設護衛，一共增添一千二百人，交給兵部辦理。陳汝言是兵部尚書，乘機大敲竹槓。

由於護衛待遇厚差使輕鬆，京師中活動這個位置者不乏其人。有人出銀一千兩，陳汝言答應了，後來有人出銀一千五百兩，一千兩的人就落空了。因爲價碼不斷攀高，人選也一再更迭，所以再三拖延，始終沒把事情辦成。

最後，明英宗召見錦衣衛密令偵查，陳汝言被抄家，因爲家財太多，用了幾十輛大車載運進宮，英宗命令把這些個金銀珍寶擺在文華殿外，要朝臣們前來參觀。

朝臣們被召到文華殿，也不知何事，皇帝還沒來，大內怎麼出現了廟會，太監請朝臣們參觀擺設得像展覽會場般的家財，群臣們看到無數的珍珠美玉、金飾瑪瑙，還有許多不知名的寶貝，個個瞠目咋舌，及至細細欣賞，又有目迷五色之惑，有人大罵陳汝言心黑，有人則佩服陳汝言貪污的本領一流。

英宗駕臨文華殿，群臣肅靜下來，英宗對大家說：『這些都是陳汝言的家財，也是他的贓物，還有十四萬兩銀子擺不下，就沒擺出來，你們都看到了吧？』

『是。』群臣們回答，也都感覺到了皇帝的怒氣。

『于謙當了八年的兵部尚書，抄家時竟沒有一件值錢的東西，陳汝言才當了八個月的兵部尚書，貪贓所得竟如此之多，你們怎麼說？』

英宗疾言厲色，眼睛則瞪著石亨，石亨心裡一慌，趕緊低下頭去。

其實，英宗最該責問的人是他自己，是誰下令殺了于謙，又是誰任命陳汝言的官位？不都是英宗嗎？

吏部尚書王翱接口：『請將陳汝言交三法司，依律治罪，兵部尚書一職由閣臣速遴選適當官員調任。』

『就依所奏。』英宗點點頭：『不過，繼任的人選要慎重。』

三法司審判的結果，陳汝言被判死刑。

陳汝言的案子透露了一個訊息，石亨快要失寵了。

沒多久，英宗又發了一次脾氣，原來石亨幾乎每天進宮，煩不勝煩，英宗對李賢說：『閣臣們有事，自然當來，石亨是一個武臣，爲何他頻頻入宮？』於是，英宗宣諭，命令左順門的守衛，除非宮中宣召，否則不可以讓總兵官隨意入宮禁。如此一來便阻斷了石亨無故入宮之路。

再說，石亨又要求爲他祖墳樹碑，並且由翰林院撰文。明英宗認爲，自永樂以來，從未有爲祖宗立碑之事，這簡直是逾格，也讓英宗極爲不滿。

總之，自從奪門之後，石亨彷彿認爲，他有要求一切的權利，他所冒濫保薦的人已經多到不可勝數，京畿內外的武官，幾乎個個拜在他的門下，這些人所帶的隊伍，已經有十萬人之多。

凡此種種，都讓英宗愈來愈不是滋味，頗有養虎爲患之感。

閱讀心得

【第838篇】

石亨與石彪的豪賭。

奪門之後，石亨目中無人，多所要求，連明英宗都覺得尾大不掉，彷佛身後長了一條煩人的大尾巴，甩也甩不掉，漸漸無法控制掌握。

有一天，明英宗與恭順侯吳瑾一同登上皇宮內的鳳翔樓，從樓上遠眺宮外有一幢豪華大宅。英宗指著大宅問吳瑾：『你知道這幢漂亮的新宅是誰住的嗎？』

吳瑾早就知道那是石亨的新居，石亨的新居以豪華聞名，京城中無人不知，但是吳瑾卻故意回答：『大概是哪一位王爺的府第吧！』『哈哈！不是。』英宗笑著說。接著英宗立刻收斂了笑容，用嚴肅的語氣說：『石亨蠻橫無道，難道沒有人敢揭發他的奸謀嗎？』英宗也不想一想，他自己如此寵信石亨，誰又敢揭發他的奸謀呢？

英宗終於決定，逐步削減石亨的勢力。石亨的侄兒石彪長期鎮守大同，石亨叔侄由大同起家，久視此地爲禁臠，英宗對於石彪手握重兵，坐鎮京師西北方，虎視眈眈，充滿了威脅感。

天順三年六月，英宗封石彪侯爵，命石彪返回京師。石彪不願意離開大同，暗中命令千戶楊斌等四十九人聯名上奏章，請求留住石彪。英宗覺得楊斌的奏章有疑問，命令錦衣衛逮捕楊斌，楊斌承認奏章是石彪所寫的，

自己不過是具名而已。

石彪的行爲是違抗君命，錦衣衛以商議事情爲名，把石彪請了來，一聲令下，將他綑得結結實實，以囚車送入京師。

錦衣衛大批人馬又殺入石彪家中，查到石彪家中藏有繡了蟒龍的衣服以及雕了龍的椅子，這都是只有皇帝才能使用的。楊斌又供出，他曾經奉石彪之命，到蘇州去採辦天子才能使用的特大號紅木床，這些全都是死罪。

石亨聽說石彪被逮捕下獄，心中大爲恐慌，立刻進宮向皇帝請罪，請求將自己親戚的官職全部削去，自己也願意告老還鄉。

英宗知道石亨的請求不是出於眞心，於是對石亨說：『你和你的親戚都還是照舊任官，石彪的案子命三法司重審，希望不要冤枉了石彪。』『只要與你無關，我不會冤枉你的。』

三法司重審的結果，除了保留謀逆、貪污的罪名外，又加了一條凌侮親王的死罪。

原來石彪鎮守大同，代王也在大同，景泰年間，朝廷增加了代王的俸禄。石彪跑去找代王：『你能夠增加俸禄，都是因爲我立功的關係，還不謝謝我。』

代王懦弱無能，雖然貴爲王爺，生活享受不錯，卻不能過問政治，更沒見過風險，身邊侍衛盡是老弱之輩。今日一見石彪的兇相，就像惡魔一樣，嚇得雙膝一軟，跪了下來，口裡不斷地說：『謝謝。』

從此以後，代王常常被逼宴請石彪，代王府中的歌妓也常出來陪伴石彪，石彪則大模大樣接受招待，喝醉了酒便責罵代王，讓代王嚇得發抖。朝臣們見到石彪案發，紛紛上奏章彈劾石亨，罪名是石亨『招權納賄，肆行無忌，圖謀篡位』。

英宗下詔將石彪暫時入獄，石亨則不許上朝，也不許過問政事，他還是不忍心辦石亨。

英宗對著李賢嘆氣：『石亨自恃有奪門之功，求索甚多，貪而無厭，眞正是始料未及。』英宗有些氣憤。

李賢有一肚子的話埋在心中，終於開了口：『迎駕可以說得過去，但是「奪門」二字恐怕不妥，這皇位原本就是陛下的，哪裡是奪到的，「奪門」就暗示不是正正當當得來的，陛下該如何向後世子孫交代呢？』

『對啊，朕怎麼沒有想到？』英宗叫了起來。

『當時南宮迎駕幸好是成功了，萬一事機敗露，石亨等人死不足惜，可是不知道將置陛下於何地？』

『不錯，石亨是把朕當做他們的賭博籌碼。』英宗生氣地說。

『其實，如果景泰帝真的一病不起，景泰帝又沒有兒子，群臣必然會上表給太后，請求陛下復位，如果是那樣，老臣耆舊，依然在職，何至於擾擾攘攘，殺戮大臣，觸怒上天，那些人又有甚麼功勞要求升官厚賞呢？』李賢又引用了一句《易經》中的話：『開國承家，小人勿用。』他一口氣分析下來，情詞懇切。

『唉，我知道我錯了。』英宗站了起來：『你立刻擬一個詔書，自今以後任何奏章不許再用「奪門」二字，以前那些冒功得官的人，要他們出來自首，否則一經查出，即予嚴懲。』

詔書頒下，那些冒功的人，不敢不自首，於是，四千多官員被罷黜，石亨死於獄中，石彪等分別處斬，一時之間，輿論稱快。

閱讀心得

【第839篇】

火燒長安門。

石亨之死對曹吉祥是一個沈重的打擊，兩人原本狼狽爲奸，石亨死了，曹吉祥有兔死狐悲的感受，每天惴惴不安，提心吊膽，唯恐大禍臨頭。

曹吉祥家中藏有不少的兵甲武器，又養了許多的門客，培植成爲死黨。曹吉祥的嗣子（曹吉祥是太監，不能生子，嗣子是過繼門下的兒子）曹欽封昭武伯。

有一天，曹欽問門客馮益說：『自古以來，有沒有宦官子弟而做了皇帝的？』

『當然有。』馮益答道：『你們曹家的祖先魏武帝曹操便是。』按曹操之父曹嵩，爲曹騰的養子，曹騰正是小黃門出身的宦官。曹欽一聽大喜，與曹吉祥積極謀畫奪取皇位一事。

曹欽的官職是都督，他蓄養了三千多名投降的韃子，這些人冒著奪門之功而做了官，當時人稱之爲『達官』，達字乃一語雙關，既是發達的達，又是韃子的韃。曹欽希望達官們能夠出死力，因此將家中的倉庫打開，金錢、布帛、米穀，隨他們任意取用。利誘之外又予以威脅，如果曹家步上石家之後，他們的官位就會立刻取消。

曹欽找人算了吉日，擇定天順五年七月二日起事，計畫由曹欽帶兵攻

入皇宮，廢掉皇帝，曹吉祥以禁兵爲內應。

曹欽手下有個達官完者禿亮，漢名叫馬亮，認爲曹欽造反形同兒戲，犯不著跟他一起蹚渾水，在前一晚二更時，趁大夥兒提前慶功，酒興正濃，借名如廁，悄悄地跑到皇城外的東朝房向吳瑾告密。

吳瑾嚇了一跳，連忙喚醒孫鏜共同商議。這時宮中大門早已緊閉，無法面奏皇帝，此二人又是武將，識字不多，更不會寫奏章，著急萬分。

『事急了，你隨隨便便寫兩個字吧。』吳瑾催促著。

孫鏜只得提起筆，在紙上歪歪斜斜寫了：『曹欽反，曹欽反』六個字，下面署名是孫鏜與吳瑾。

西長安門內值班的太監聽到孫鏜急促的敲門聲，不敢開門，聽到門外孫鏜的聲音，說是有十萬火急的事要奏報皇上，又見門縫裡塞進一張紙條，便立刻拿了紙條飛奔入宮報告皇帝。

英宗自睡夢中被叫醒，一見孫鏜的紙條，立刻派人把在宮內的曹吉祥綁了起來，並且下令所有的皇宮門不許打開，準備應敵。

過了午夜曹欽結合人馬，發現馬亮失蹤，心想馬亮一定是出去告密了，但事已至此，不能罷手。

由於曹吉祥已被逮捕，皇宮內毫無動靜，宮門一扇都未開，此時東方已露出曙光，曹欽下令：『放火，把西長安門給燒了。』

西長安門是三寸厚的木板門，被火一燒便焦了，達官們拿刀七砍八砍去劈燒焦的大門，門被砍開了，卻發覺門內的守宮衛士已經拆下御河岸的青磚，將門洞堵死，外人根本進不去。

趁著曹欽攻長安門，孫鏜派他的兩個兒子快跑出北京城，召集駐紮在城外的西征軍。

西征軍兩千人來到東朝房，孫鏜大聲說：『你們看長安門燒了火，這是曹欽謀反，能殺賊者必有賞。』

曹欽攻不破西長安門，下令改攻東長安門，仍舊用火燒，不久，東長安門燒了一個洞，達官們正想爬進洞入宮，忽然發覺門內堆滿了樹枝，樹枝正在燃燒，一陣一陣濃煙從門洞裡吹出來，薰得達官們趕快往後退。

這時天色已亮，孫鏜領著西征軍和曹欽的人馬展開了一場混戰。這場戰爭一直打到下午，達官們死的死、降的降，曹欽帶著滿身傷痛逃回家中，天氣忽然轉變，爲烈日曬得發燙的街道，讓雨水淋起陣陣白氣。

曹欽站在走廊上，仰望著天上的烏雲，心亂如麻，激動得和堂弟曹鐸抱頭痛哭，忽然之間，聽到門外軍士的吶喊聲，知道孫鏜的軍隊已將這一座佔地廣闊的大宅包圍了。

『嘭！』一聲巨響，接著人聲喧嘩，顯然官兵已衝了進來，曹欽見到大勢已去，獨自走到後院，投井而死。

官軍進入曹家的大宅，見人就殺，曹家上上下下全部遭殃。

兩天以後，曹吉祥也被處以死刑，曹欽和三個堂弟已死，仍要磔屍，投降的達官則充軍到海南島。

閱讀心得

國家圖書館出版品預行編目資料

全新吳姐姐講歷史故事. 39. 明代/吳涵碧 著.
--初版.--臺北市；皇冠，1995〔民84〕
面；公分（皇冠叢書；第2396種）
ISBN 978-957-33-1174-4 （平裝）
1. 中國歷史

610.9　　　　　　84000130

皇冠叢書第2396種
第三十九集【明代】
全新吳姐姐講歷史故事〔注音本〕

作　　者—吳涵碧
繪　　圖—劉建志
發 行 人—平雲
出版發行—皇冠文化出版有限公司
台北市敦化北路120巷50號
電話◎02-27168888
郵撥帳號◎15261516號
皇冠出版社(香港)有限公司
香港銅鑼灣道180號百樂商業中心
19字樓1903室
電話◎2529-1778　傳真◎2527-0904
印　　務—林佳燕
校　　對—皇冠校對組
著作完成日期—1992年01月01日
香港發行日期—1995年09月25日
初版一刷日期—1995年10月01日
初版三十二刷日期—2021年05月
法律顧問—王惠光律師

讀者服務傳真專線◎02-27150507
電腦編號◎350039
ISBN◎978-957-33-1174-4
Printed in Taiwan
本書定價◎新台幣150元/港幣45元